O PERIGO DE UMA HISTÓRIA ÚNICA

O PERIGO DE UMA HISTÓRIA ÚNICA

CHIMAMANDA NGOZI ADICHIE

Tradução de Julia Romeu

16ª reimpressão

COMPANHIA DAS LETRAS

Copyright © 2009 by Chimamanda Ngozi Adichie
Todos os direitos reservados

Grafia atualizada segundo o Acordo Ortográfico da Língua Portuguesa de 1990, que entrou em vigor no Brasil em 2009.

Título original The Danger of a Single Story

Capa e projeto gráfico Claudia Espínola de Carvalho

Foto da autora Wani Olatunde

Preparação Lígia Azevedo

Revisão Marina Nogueira e Viviane T. Mendes

Dados Internacionais de Catalogação na Publicação (CIP)
(Câmara Brasileira do Livro, SP, Brasil)

Adichie, Chimamanda Ngozi
O perigo de uma história única / Chimamanda Ngozi Adichie ; tradução Julia Romeu. — 1ª ed. — São Paulo: Companhia das Letras, 2019.

Título original: The Danger of a Single Story.
ISBN 978-85-359-3253-9

1. Adichie, Chimamanda Ngozi, 1977 – 2. Experiência de vida 3. Histórias de vida 4. Literatura africana – História e crítica 5. TED (Conferência) I. Romeu, Julia. II. Título.

19-27197 CDD-820.996

Índice para catálogo sistemático:
1. Mulheres nigerianas : Histórias de vida   820.996

Iolanda Rodrigues Biode – Bibliotecária – CRB-8/10014

Todos os direitos desta edição reservados à
EDITORA SCHWARCZ S.A.
Rua Bandeira Paulista, 702, cj. 32
04532-002 — São Paulo — SP
Telefone: (11) 3707-3500
www.companhiadasletras.com.br
www.blogdacompanhia.com.br
facebook.com/companhiadasletras
instagram.com/companhiadasletras
twitter.com/cialetras

NOTA DA EDIÇÃO BRASILEIRA

O perigo de uma história única é uma adaptação da primeira palestra proferida por Chimamanda Ngozi Adichie no TED Talk, em 2009.

Dez anos depois, o vídeo é um dos mais acessados da plataforma, com mais de 18 milhões de visualizações. É possível acessá-lo em: <http://www.ted.com/talks/chimamanda_adichie_the_danger_of_a_single_story?language=pt-br>.

O PERIGO DE UMA HISTÓRIA ÚNICA

Sou uma contadora de histórias. Gostaria de contar a vocês algumas histórias pessoais sobre o que gosto de chamar de "o perigo da história única".

Passei a infância num campus universitário no leste da Nigéria. Minha mãe diz que comecei a ler aos dois anos de idade, embora eu ache que quatro deva estar mais próximo da verdade. Eu me tornei leitora cedo, e o que lia eram livros infantis britânicos e americanos.

Também me tornei escritora cedo. Quando comecei a escrever, lá pelos sete anos de idade — textos escritos a lápis com ilustrações feitas com giz de cera que minha pobre mãe era obrigada a ler —, escrevi exatamente o tipo de história que lia: todos os meus personagens eram brancos de olhos azuis, brincavam na neve, comiam maçãs e falavam muito sobre o tempo e sobre como era bom o sol ter saído.

Escrevia sobre isso apesar de eu morar na Nigéria. Eu nunca tinha saído do meu país. Lá, não tinha neve, comíamos mangas e nunca falávamos do tempo, porque não havia necessidade. Meus personagens também bebiam muita cerveja de gengibre, porque os personagens dos livros britânicos que eu lia bebiam cerveja de gengibre. Não importava que eu não fizesse ideia do que fosse cerveja de gengibre. Durante muitos anos, tive um desejo imenso de provar cerveja de gengibre. Mas essa é outra história.

O que isso demonstra, acho, é quão impressionáveis e vulneráveis somos diante de uma história, particularmente durante a infância.

Como eu só tinha lido livros nos quais os personagens eram estrangeiros, tinha ficado convencida de que os livros, por sua própria natureza, precisavam ter estrangeiros e ser sobre coisas com as quais eu não podia me identificar. Mas tudo mudou quando descobri os livros africanos. Não havia muitos disponíveis e eles não eram tão fáceis de ser encontrados quanto os estrangeiros, mas, por causa de escritores como Chinua Achebe e Camara Laye, minha percepção da literatura passou por uma mudança. Percebi que pessoas como eu, meninas com pele cor de chocolate, cujo cabelo crespo não formava um rabo de cavalo, também podiam existir na literatura. Comecei, então, a escrever sobre coisas que eu reconhecia.

Eu amava aqueles livros americanos e britânicos que lia. Eles despertaram minha imaginação. Abriram mundos novos para mim, mas a consequência não prevista foi que eu não sabia que pessoas iguais a mim podiam existir na literatura. O que a descoberta de escritores africanos fez por mim foi isto: salvou-me de ter uma história única sobre o que são os livros.

Sou de uma família nigeriana convencional, de classe média. Meu pai era professor universitário e minha mãe era administradora. Tínhamos, como era comum, empregados domésticos que moravam em nossa casa e que, em geral, vinham de vilarejos rurais próximos. No ano em que fiz oito anos, um menino novo foi trabalhar lá em casa. O nome dele era Fide. A única coisa que minha mãe nos contou sobre ele foi que sua família era muito pobre. Minha mãe mandava inhame, arroz e nossas roupas velhas para eles. Quando eu não comia todo o meu jantar, ela dizia: "Coma tudo! Você não sabe que pessoas como a família de Fide não têm nada?". E eu sentia uma pena enorme deles.

Certo sábado, fomos ao vilarejo de Fide fazer uma visita. Sua mãe nos mostrou um cesto de palha pintado com uns desenhos lindos que o irmão dele tinha feito. Fiquei espantada. Não havia me ocorrido que alguém naquela família pudesse *fazer* alguma coisa. Eu só tinha ouvido falar sobre como eram pobres, então ficou impossível para mim vê-

-los como qualquer coisa além de pobres. A pobreza era minha história única deles.

Anos depois, pensei nisso quando saí da Nigéria para fazer faculdade nos Estados Unidos. Eu tinha dezenove anos. Minha colega de quarto americana ficou chocada comigo. Ela perguntou onde eu tinha aprendido a falar inglês tão bem e ficou confusa quando respondi que a língua oficial da Nigéria era o inglês. Também perguntou se podia ouvir o que chamou de minha "música tribal", e ficou muito decepcionada quando mostrei minha fita da Mariah Carey. Ela também presumiu que eu não sabia como usar um fogão.

O que me impressionou foi: ela já sentia pena de mim antes de me conhecer. Sua postura preestabelecida em relação a mim, como africana, era uma espécie de pena condescendente e bem-intencionada. Minha colega de quarto tinha uma história única da África: uma história única de catástrofe. Naquela história única não havia possibilidade de africanos serem parecidos com ela de nenhuma maneira; não havia possibilidade de qualquer sentimento mais complexo que pena; não havia possibilidade de uma conexão entre dois seres humanos iguais.

Devo dizer que, antes de ir para os Estados Unidos, eu não me reconhecia conscientemente como africana. Mas, naquele país, sempre que a África era mencionada, as pessoas se voltavam para mim. Não importava que eu não soubesse nada sobre lugares como a Namíbia. Passei a aceitar essa identidade e, de muitas formas, agora penso em mim como africana, embora ainda fique bastante irritada quando dizem que a África é um país. O exemplo mais recente disso foi num voo da Virgin, maravilhoso em todos os outros aspectos, que peguei em Lagos dois dias atrás, durante o qual falaram de obras de caridade feitas "na Índia, na África e em outros países".

Depois que passei alguns anos nos Estados Unidos como africana, comecei a entender a reação da minha colega de quarto em relação a mim. Se eu não tivesse crescido na Nigéria e se tudo o que eu soubesse sobre a África viesse das imagens populares, também ia achar que se tratava de um lugar com paisagens maravilhosas, animais lindos e pessoas incompreensíveis travando guerras sem sentido, morrendo de pobreza e de aids, incapazes de falar por si mesmas e esperando para serem salvas por um estrangeiro branco e bondoso. Veria os africanos da mesma maneira como eu via a família de Fide quando era criança.

Acho que essa história única da África veio, no final das contas, da literatura ocidental. Aqui está uma citação de um mercador de Londres chamado John Lok, que velejou para a África ocidental em 1561 e fez um relato fascinante de sua viagem. Após se referir aos africanos negros como "animais que não têm casa", ele escreveu: "Também é um povo sem cabeça, com a boca e os olhos no peito".

Rio toda vez que leio isso. É preciso admirar a imaginação de John Lok. Mas o importante sobre o que ele escreveu é que representa o início de uma tradição de contar histórias sobre a África no Ocidente: uma tradição da África subsaariana como um lugar negativo, de diferenças, de escuridão, de pessoas que, nas palavras do maravilhoso poeta Rudyard Kipling, são "metade demônio, metade criança".

Assim, comecei a me dar conta de que minha colega de quarto americana devia ter passado a vida inteira vendo e ouvindo versões diferentes dessa história única, assim como um professor universitário que certa vez me disse que meu romance não era "autenticamente africano".

Eu estava bastante disposta a admitir que havia diversas coisas erradas com o romance e que ele fracassava em vários aspectos, mas não chegara a imaginar que fracassava em alcançar algo chamado "autenticidade africana". Na verdade, eu não sabia o que era autenticidade africana. O professor me disse que meus personagens pareciam demais com ele próprio, um homem instruído de classe média: eles dirigiam carros, não estavam passando fome; portanto, não eram autenticamente africanos.

Mas preciso acrescentar depressa que sou tão culpada quanto essas pessoas na questão da história única. Alguns anos atrás, fui visitar o México. Na época, o clima político nos Estados Unidos, de onde eu vinha, estava tenso, e debatia-se muito a imigração. Como costuma acontecer nos Estados Unidos, imigração tinha se tornado sinônimo de mexicanos. Havia histórias infindáveis sobre pessoas que fraudavam o sistema de saúde, passavam clandestinamente pela fronteira ou eram presas ali, esse tipo de coisa. Eu me lembro de sair para passear no meu primeiro dia em Guadalajara e ver as pessoas indo para o trabalho, fazendo tortilhas no mercado, fumando, rindo. Primeiro senti uma leve surpresa, e então fui tomada pela vergonha. Percebi que tinha estado tão mergulhada na cobertura da mídia sobre os mexicanos que eles haviam se tornado uma só coisa na minha mente: o imigrante abjeto. Eu tinha acreditado na história única dos mexicanos e fiquei morrendo de vergonha daquilo.

É assim que se cria uma história única: mostre um povo como uma coisa, uma coisa só, sem parar, e é isso que esse povo se torna.

É impossível falar sobre a história única sem falar sobre poder. Existe uma palavra em igbo na qual sempre penso quando considero as estruturas de poder no mundo: *nkali*. É um substantivo que, em tradução livre, quer dizer "ser maior do que outro". Assim como o mundo econômico e político, as histórias também são definidas pelo princípio de *nkali*: como elas são contadas, quem as conta, quando são contadas e quantas são contadas depende muito de poder.

O poder é a habilidade não apenas de contar a história de outra pessoa, mas de fazer que ela seja sua história definitiva. O poeta palestino Mourid Barghouti escreveu que, se você quiser espoliar um povo, a maneira mais simples é contar a história dele e começar com "em segundo lugar". Comece a história com as flechas dos indígenas americanos, e não com a chegada dos britânicos, e a história será completamente diferente. Comece a história com o fracasso do Estado africano, e não com a criação colonial do Estado africano, e a história será completamente diferente.

Há pouco tempo dei uma palestra numa universidade e um aluno me disse que era uma grande pena que os homens nigerianos fossem agressivos como o personagem do pai no meu romance. Eu disse a ele que tinha acabado de ler um livro chamado *O psicopata americano* e que achava que era uma grande pena que os jovens americanos fossem assassinos em série.

Bem, obviamente eu disse isso num leve ataque de irritação. Mas jamais teria me ocorrido pensar que, só porque li um romance no qual o personagem era um assassino em série, ele de alguma maneira representava todos os americanos. Não digo isso porque me considero uma pessoa melhor do que esse aluno, mas porque, graças ao poder econômico e cultural dos Estados Unidos, tive acesso a muitas histórias sobre esse país. Já tinha lido Tyler, Updike, Steinbeck e Gaitskill. Não tinha uma história única dos Estados Unidos.

Quando descobri, alguns anos atrás, que se esperava que os escritores tivessem tido infâncias muito infelizes para ser bem-sucedidos, comecei a pensar em como inventar coisas horríveis que meus pais poderiam ter feito comigo. Mas a verdade é que tive uma infância muito feliz, cheia de riso e amor, numa família muito próxima.

Também tive avós que morreram em campos de refugiados. Meu primo Polle morreu porque não recebeu tratamento médico adequado. Um dos meus melhores amigos, Okoloma, morreu num acidente de avião porque nossos caminhões de bombeiros não tinham água. Minha infância transcorreu durante governos militares que desvalorizavam a educação, de modo que às vezes meus pais não recebiam seus salários. Então, quando eu era criança, vi a geleia desaparecer da mesa do café, depois a margarina, depois o pão ficou caro demais, depois o leite foi racionado. Acima de tudo, uma espécie de medo político normalizado invadiu nossa vida.

Todas essas histórias me fazem quem eu sou. Mas insistir só nas histórias negativas é simplificar minha experiência e não olhar para as muitas outras histórias que me formaram.

A história única cria estereótipos, e o problema com os estereótipos não é que sejam mentira, mas que são incompletos. Eles fazem com que uma história se torne a única história.

É claro que a África é um continente repleto de catástrofes. Existem algumas enormes, como os estupros aterradores no Congo, e outras deprimentes, como o fato de que 5 mil pessoas se candidatam a uma vaga de emprego na Nigéria. Mas existem outras histórias que não são sobre catástrofes, e é muito importante, igualmente importante, falar sobre elas.

Sempre senti que é impossível se envolver direito com um lugar ou uma pessoa sem se envolver com todas as histórias daquele lugar ou daquela pessoa. A consequência da história única é esta: ela rouba a dignidade das pessoas. Torna difícil o reconhecimento da nossa humanidade em comum. Enfatiza como somos diferentes, e não como somos parecidos.

E se, antes da minha viagem ao México, eu tivesse acompanhado o debate sobre a imigração de ambos os lados, tanto o americano quanto o mexicano? E se minha mãe tivesse dito para nós que a família de Fide era pobre *e* trabalhadora? E se tivéssemos uma rede de televisão africana que transmitisse histórias africanas diversas para o mundo todo, naquilo que o escritor nigeriano Chinua Achebe chama de "um equilíbrio de histórias?".

E se minha colega de quarto soubesse do meu editor nigeriano, Muhtar Bakare, um homem extraordinário que largou seu emprego num banco para abrir uma editora? O senso comum dizia que os nigerianos não liam literatura. Ele discordava. Sentia que as pessoas que sabiam ler leriam se a literatura estivesse disponível e acessível para elas.

Pouco tempo depois de Bakare publicar meu primeiro romance, fui a uma emissora de TV em Lagos para uma entrevista. Uma mulher que trabalhava lá me abordou e disse: "Gostei muito do seu romance, mas não gostei do fim. Você precisa escrever uma continuação, e é isto que vai acontecer..." — então começou a me dizer o que escrever. Fiquei não só encantada, mas muito comovida. Lá estava aquela mulher, parte da massa de nigerianos que supostamente não é leitora. Ela não só tinha lido o livro como tinha se apropriado dele e se sentido à vontade para me dizer o que escrever na continuação.

E se a minha colega de quarto soubesse da minha amiga Funmi Iyanda, uma mulher destemida que apresenta um programa de TV em Lagos e está decidida a contar as histórias que preferimos esquecer? E se ela soubesse do procedimento cardíaco que foi feito no hospital de Lagos na semana passada? E se soubesse da música nigeriana contemporânea, com pessoas talentosas cantando em inglês e pidgin, em igbo, iorubá e ijo, misturando influências que vão de Jay-Z a Fela, de Bob Marley até seus avós?

E se a minha colega soubesse da advogada que recentemente foi aos tribunais da Nigéria contestar uma lei ridícula que exigia que as mulheres tivessem o consentimento do marido para renovar o passaporte? E se soubesse de Nollywood, cheia de pessoas inovadoras fazendo filmes apesar de grandes dificuldades técnicas, filmes tão populares que realmente são o melhor exemplo de nigerianos consumindo o que produzem? E se minha colega soubesse da mulher maravilhosamente ambiciosa que trança meus cabelos e que acabou de abrir seu próprio negócio para vender apliques?

E dos milhões de outros nigerianos que empreendem e às vezes fracassam, mas continuam a acalentar ambições?

Sempre que estou no meu país, sou confrontada com as fontes de irritação comuns à maioria dos nigerianos: nossa infraestrutura falida, nosso governo falido. Mas também com a incrível resiliência de um povo que prospera apesar do governo, e não graças a ele. Dou oficinas de escrita em Lagos todo verão, e para mim é maravilhoso ver quantas pessoas se inscrevem, quantas estão ansiosas para escrever, para contar histórias.

Meu editor nigeriano e eu acabamos de fundar uma organização sem fins lucrativos chamada Farafina Trust e temos grandes sonhos: construir bibliotecas, reformar as que já existem e doar livros para escolas públicas que não têm acervo, além de organizar diversas oficinas de leitura e escrita para as

SOBRE A AUTORA

"Chimamanda Ngozi Adichie é uma das principais feministas e pensadoras da atualidade."
Marie Claire

"A escrita de Adichie está envolta pela crítica social e política. É uma escritora que assume seu papel como porta-voz daqueles que habitam seu continente de origem."
The Guardian

"Uma das raras escritoras a se tornar uma figura pública internacional, Adichie

é a voz mais importante sobre raça e gênero na era digital."
The New York Times Magazine

"Uma das maiores autoras contemporâneas."
Barack Obama

"Adichie mostra que é capaz de conjurar as fissuras pessoais criadas por circunstâncias políticas. Ela fala ao mesmo tempo da obviedade da história e das sutilezas da intimidade."
Michiko Kakutani, *The New York Times*

"Adichie é brilhante! Ela escreve sobre amor e política de forma interligada e genuína."
Elle

Chimamanda Ngozi Adichie nasceu em 15 de setembro de 1977, em Enugu, na Nigéria. Quinta filha de seis irmãos, seus pais, Grace Ifeoma e James Nwoye Adichie, são falantes de igbo. Embora sua família seja originalmente da cidade de Abba, no estado de Anambra, a autora cresceu em Nsukka, na casa que já foi do renomado escritor Chinua Achebe. O pai de Chimamanda, que já se aposentou, foi professor de estatística na Universidade da Nigéria, em Nsukka, e a mãe foi a primeira mulher a ocupar o cargo de *registrar* na mesma instituição.

Chimamanda completou o ensino médio no colégio da universidade e recebeu diversas honrarias. Estudou medicina e farmácia em Nsukka por um ano e meio e, durante esse período, editou a revista *The Compass*, dos estudantes de medicina.

Aos dezenove anos, mudou-se para os Estados Unidos com uma bolsa para estudar comunicação na Universidade Drexel, na Filadélfia, mas pediu transferência para a Eastern Connecticut State University, onde se formou *summa cum laude* em comunicação e ciências políticas e contribuiu para o jornal *Campus Lantern*. Lá, morou com a irmã Ijeoma, que trabalhava em uma clínica médica.

Em 2003, defendeu seu mestrado em escrita criativa na Universidade Johns Hopkins, em Baltimore. No mesmo ano publicou *Hibisco roxo*, seu primeiro romance, que começara a escrever ainda durante a graduação. O livro foi calorosamente recebido pelo público e pela crítica, sendo ganhador do Commonwealth Writers' Prize e do Hurston/Wright Legacy Award.

Entre 2005 e 2006, Chimamanda foi *fellow* da Universidade de Princeton. Seu segundo romance, Meio sol amarelo, publicado em 2006, venceu em 2007 o Orange Prize for Fiction (atual Women's Prize for Fiction) e o National Book Critics Circle Award. O livro recebeu adaptação para o cinema em 2013.

Em 2008, a autora defendeu seu mestrado em estudos africanos pela Universidade Yale com a dissertação intitulada *O mito da "cultura": Delineando a história das mulheres igbo na Nigéria colonial e pré-colonial*. Sua primeira coletânea de contos, No seu pescoço, foi lançada em 2009.

Entre 2011 e 2012, recebeu uma bolsa do Radcliffe Institute for Advanced Study, da Universidade Harvard, para escrever o romance Americanah, publicado em 2013. O livro, eleito um dos dez melhores do ano pelo *New York Times Book Review* e vencedor do National Book Critics Circle Award, teve os direitos para o cinema adquiridos por Lupita Nyong'o. A publicação mais recente de Chimamanda, o ensaio *Como educar crianças feministas*, saiu em 2017.

A obra da autora foi traduzida para mais de trinta línguas e apareceu em inúmeros periódicos, como as revistas *New Yorker* e *Granta*. Juntas, suas conferências no TED já somam mais de 20 milhões de visualizações.

Atualmente Chimamanda é casada e tem uma filha. Divide seu tempo entre a Nigéria, onde ministra workshops de escrita com regularidade, e os Estados Unidos.

facebook.com/chimamandaadichie
instagram.com/chimamanda_adichie
chimamanda.com

OBRAS DA AUTORA PUBLICADAS
PELA COMPANHIA DAS LETRAS

NO SEU PESCOÇO (2017)

Na história que dá nome ao livro, uma jovem deixa sua terra natal na Nigéria para morar nos Estados Unidos, onde vivencia logo cedo a experiência de ser estrangeira. Em outro conto, uma estudante de medicina vai com a irmã ao mercado local da cidade nigeriana de Kano e lá, surpreendida por uma rebelião, se vê confinada na presença apenas de uma senhora muçulmana. Perdida da própria irmã, seu igual, ela é confrontada com o outro.

Nas doze narrativas que compõem *No*

seu pescoço, encontramos a sensibilidade de Chimamanda voltada para a temática da imigração, do preconceito racial, dos conflitos religiosos e das relações familiares. Partindo da perspectiva do indivíduo para atingir o universal, Adichie explora os laços entre homens e mulheres, pais e filhos, África e Estados Unidos.

PARA EDUCAR CRIANÇAS FEMINISTAS (2017)

UM MANIFESTO COM QUINZE SUGESTÕES de como criar filhos dentro de uma perspectiva feminista, que pode ser lido igualmente por homens e mulheres, pais de meninas e meninos. Escrito no formato de uma carta da autora a uma amiga que acaba de se tornar mãe de uma menina, *Para educar crianças feministas* traz conselhos simples e precisos de como oferecer uma formação igualitária a todas as crianças, o que se inicia pela justa distribuição de tarefas entre pais e mães.

Partindo de sua experiência pessoal para mostrar o longo caminho que ainda temos a percorrer, Chimamanda Ngozi Adichie oferece uma leitura essencial para quem deseja preparar seus filhos para o mundo contemporâneo e contribuir para uma sociedade mais justa.

SEJAMOS TODOS FEMINISTAS (2015)

Chimamanda Ngozi Adichie ainda se lembra exatamente do dia em que a chamaram de feminista pela primeira vez. Foi durante uma discussão com seu amigo de infância Okoloma. "Não era um elogio. Percebi pelo tom da voz dele; era como se dissesse: 'Você apoia o terrorismo!'." Apesar do tom de desaprovação de Okoloma, Adichie abraçou o termo e — em resposta àqueles que lhe diziam que feministas são infelizes porque nunca se casaram, que são "antiafricanas" e que odeiam homens e maquiagem

— começou a se intitular uma "feminista feliz e africana que não odeia homens e que gosta de usar batom e salto alto para si mesma, e não para os homens".

Neste ensaio preciso e revelador, Adichie parte de sua experiência pessoal de mulher e nigeriana para mostrar que muito ainda precisa ser feito até que alcancemos a igualdade de gênero. Segundo ela, tal igualdade diz respeito a homens e mulheres, pois será libertadora para todos: meninas poderão assumir sua identidade, ignorando a expectativa alheia, mas também os meninos poderão crescer livres, sem ter que se enquadrar em estereótipos de masculinidade.

Sejamos todos feministas é uma adaptação do discurso feito pela autora no TEDx Euston, que conta com mais de 1,5 milhão de visualizações (https://www.ted.com/talks/chimamanda_ngozi_adichie_we_should_all_be_feminists?language=pt-br).

AMERICANAH (2014)

LAGOS, ANOS 1990. Enquanto Ifemelu e Obinze vivem o idílio do primeiro amor, a Nigéria enfrenta tempos sombrios sob um regime militar. Em busca de alternativas às universidades nacionais, paralisadas por sucessivas greves, a jovem Ifemelu muda-se para os Estados Unidos. Ao mesmo tempo que se destaca no meio acadêmico, ela depara pela primeira vez com a questão racial e tem de enfrentar as agruras da vida de imigrante, mulher e, sobretudo, negra. Se Obinze planeja encontrá-la, seus planos tornam-se menos promissores depois do Onze de Setembro, quando as portas americanas se fecham para os estrangeiros.

Quinze anos mais tarde, Ifemelu é uma aclamada blogueira que reflete sobre o dia a dia dos africanos na América, mas o tempo e o sucesso não atenuaram o apego à terra natal, tampouco afrouxaram a ligação com Obinze. Ao voltar para a Nigéria, ela terá de encontrar um lugar na vida de seu companheiro de adolescência e num país muito diferente do que deixou.

Principal autora nigeriana de sua geração e uma das mais destacadas da cena literária internacional, Chimamanda Ngozi Adichie parte de uma história de amor arrebatadora para debater questões prementes e universais como imigração, preconceito racial e desigualdade de gênero. Bem-humorado, sagaz e implacável, conjugando o melhor dos grandes romances e da crítica social, *Americanah* é um épico da contemporaneidade.

Eleito um dos dez melhores livros do ano pela *New York Times Book Review* e vencedor do National Book Critics Circle Award, *Americanah* teve os direitos para cinema comprados por Lupita Nyong'o, vencedora do Oscar de melhor atriz por *Doze anos de escravidão*.

"Em parte história de amor, em parte crítica social, um dos melhores romances que você lerá no ano."
Los Angeles Times

"Magistral… Uma história de amor épica…"
O, The Oprah Magazine

HIBISCO ROXO (2011)

Em um romance que mistura autobiografia e ficção, Chimamanda Ngozi Adichie traça, de forma sensível e surpreendente, um panorama social, político e religioso da Nigéria atual.

Protagonista e narradora de *Hibisco roxo*, a adolescente Kambili mostra como a religiosidade extremamente "branca" e católica de seu pai, Eugene, famoso industrial nigeriano, inferniza e destrói lentamente a vida de toda a família.

O pavor de Eugene às tradições primitivas do povo nigeriano é tamanho que ele chega a rejeitar o pai, um encantador contador de histórias, e a irmã, professora universitária esclarecida, temendo o inferno. Mas, apesar de seu temperamento claramente violento e autoritário, Eugene é benfeitor dos pobres e, estranhamente, apoia o jornal mais progressista do país.

Durante uma temporada na casa de sua tia, Kambili acaba se apaixonando. Mas seu primeiro amor é um padre — que é obrigado a deixar a Nigéria por falta de segurança e de perspectiva de futuro.

Enquanto narra as aventuras e desventuras de Kambili e de sua família, o romance também apresenta um retrato contundente e original da Nigéria contemporânea, mostrando os remanescentes invasivos da colonização tanto no país, como, por certo, também no restante do continente.

"Uma história sensível e delicada sobre uma jovem exposta à intolerância religiosa e ao lado obscuro da sociedade nigeriana."
J.M. Coetzee

MEIO SOL AMARELO (2008)

Filha de uma família rica e importante da Nigéria, Olanna rejeita participar do jogo do poder que seu pai lhe reservara em Lagos. Parte, então, para Nsukka, a fim de lecionar na universidade local e viver perto do amante, o revolucionário nacionalista Odenigbo. Sua irmã Kainene de certo modo encampa seu destino. Com seu jeito altivo e pragmático, ela circula pela alta roda flertando com militares e fechando contratos milionários. Gêmeas não idênticas, elas representam os dois lados de uma nação dividida, mas presa a indissolúveis laços germânicos — condição que explode na sangrenta guerra que se segue à tentativa de secessão e criação do Estado independente de Biafra.

Contado por meio de três pontos de vista — além do de Olanna, a narrativa concentra-se nas perspectivas do namorado de Kainene, o jornalista britânico Richard Churchill, e de Ugwu, um garoto que trabalha como criado de Odenigbo —, *Meio sol amarelo* enfeixa várias pontas do conflito que matou milhares de pessoas em virtude da guerra, da fome e da doença. O romance é mais do que um relato de fatos impressionantes: é o retrato vivo do caos vislumbrado através do drama de pessoas forçadas a tomar decisões definitivas sobre amor e responsabilidade, passado e presente, nação e família, lealdade e traição.

"Um marco na ficção, no qual a prosa clara e despretensiosa delineia nuances de modo absolutamente preciso."
The Guardian